SPY×FAMILY

SPY×FAMILY

© 2019 by Tatsuya Endo
All rights reserved.
First published in Japan in 2019 by SHUEISHA Inc., Tokyo.

French translation rights in France and French-speaking Belgium,
Luxembourg, Switzerland, Canada, and Monaco
arranged by SHUEISHA Inc. through VME PLB SAS, France.

Collection dirigée par : Grégoire Hellot
Traduction : Satoko Fujimoto
Adaptation : Nathalie Bougon
Lettrage : Sylvie Naddeo-Deloche

Loi n°49.956 du 16 juillet 1949
Sur les publications destinées à la jeunesse.

ISBN : 979-10-420-1402-5

Kurokawa
92, avenue de France - 75013 Paris

Dépôt légal : mars 2024
Imprimé en France par Aubin Imprimeur

KUROKAWA

SPY×FAMILY

SPYxFAMILY VOL.12
SPECIAL THANKS LIST
·CLASSIFIED·

ASSISTANTS

Satoshi Kimura	Kazuki Nonaka
Mafuyu Konishi	Masahito Sasaki
Yuichi Ozaki	

MAQUETTE

Hideaki Shimada	Eri Arakawa

ÉDITION RELIÉE

Kanako Yanagida

RESPONSABLE ÉDITORIAL

Shihei Lin

L'animé, la comédie musicale, l'exposition et d'autres collaborations encore...
Spy x Family se décline sous différentes formes, et je m'en réjouis. J'ai vu
sur les réseaux des photos de fans à l'exposition et au spectacle. Je sens
d'autant plus leur présence. Les posts sur Twitter de ceux qui regardent
l'animé en famille m'apaisent, aussi.
Ce qui me touche le plus, ce sont les retours des lecteurs du manga,
en livre ou sur appli. Mes modestes compétences font que chaque jour
je me retrouve écrasé par la quantité de travail. Mais je vais continuer
à faire le maximum, tout en prenant soin de ma santé, afin de poursuivre
avec vous cette belle aventure !

Tatsuya Endo

EYES ONLY   READ & ~~DESTROY~~   EYES ONLY

SPY×FAMILY

SPY×FAMILY CONFIDENTIAL FILES (BONUS)

RAPPORT « PENDANT CE TEMPS, DANS LA VIE D'ANYA »

SPY×FAMILY

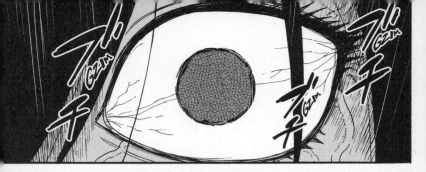

SPY x FAMILY - Tome 12 - FIN

CE NE SOIT CARRÉMENT WHEELER, QUI AURAIT ÉCHAPPÉ À NOTRE ÉQUIPE

PRUDENCE, TWILIGHT... MAIS SI C'EST WHEELER, J'AI INTÉRÊT À RÉAGIR, ET VITE !

FUT

PAS DE PRÉCIPITATION... ÇA PEUT AUSSI ÊTRE QUELQU'UN SANS LIEN AVEC NOTRE AFFAIRE

IL A SENTI MA PRÉSENCE ?

PLUS DE BRUIT...

!

OÙ EST-IL ?

TOF

DIFFICILE DE GÉOLOCALISER UN SON DANS CET ENDROIT...

VOYONS, NOCTURNA...

CETTE LUTTE POUR LA PAIX EST AUSSI LE RÊVE DE L'HOMME QUE J'AIME

TU PLAISANTES ?

COMME JE L'AI DIT À WHEELER : ON CONNAÎT LE PRIX À PAYER EN S'ENGAGEANT À L'EST

UN PROBLÈME, LOID ?

SNIF...

J'AI PERDU L'AMOUR DE MA VIE...

JE SUIS PRÊTE À ME SACRIFIER POUR LUI...

NOCTUR-NAAA

MON BUT N'EST PAS DE PASSER LE RESTANT DE MES JOURS AVEC L'HOMME DE MES RÊVES !

QUEL PIED DE MOURIR DANS SES BRAS ♡

ON N'A PAS LE DROIT À L'ÉCHEC SUR CETTE MISSION, ET TANT PIS POUR NOS PETITES VIES !

ENTENDU !

SOIGNEZ-LE ET RÉCUPÉREZ LES DOCUMENTS ! JE M'OCCUPE DE WHEELER, ENVOYEZ-MOI L'ÉQUIPE BLEUE !

TAP TAP TAP

ET SI J'ATTENDAIS L'ARRIVÉE DE TWILIGHT ?

MAIS RIEN NE M'ASSURE QU'IL VA RAPPLIQUER

CETTE POURSUITE EST MÉGA RISQUÉE POUR MOI !

JE NE PENSE PAS AVOIR LE DESSUS...

WINSTON WHEELER EST PLUS CORIACE QUE JE M'Y ATTENDAIS !

TAP

FUT

DÉJÀ, ON A LES DOCUMENTS

QU'IL EN AIT APPRIS PAR CŒUR TOUT LE CONTENU EST UNE POSSIBILITÉ, PAS UNE CERTITUDE

JE FERAIS MIEUX DE BATTRE EN RETRAITE...

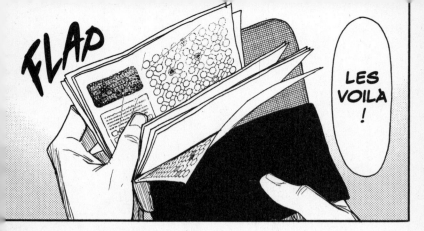

SPY×FAMILY

PENDANT QUE L'AMOUR DE MA VIE SE CHARGE DU SSS !

JE VAIS L'AVOIR !

RED 4, EN PLACE AU POINT 31 !

JE NE TE LÂCHERAI PAS !

LUI NE DOIT PAS PERDRE SA CIBLE DE VUE...

IMPOSSIBLE DE NE PAS RÉAGIR, SAUF POUR UN SUIVEUR

AÏE, AÏE, AÏE... LA GROSSE BOULETTE...

DU MOINS PAS TROP LONGTEMPS

CELUI DONT LE REGARD REVIENT À SA PROIE EST NOTRE HOMME !
(ENFIN, JE CROIS)

VU SA SITUATION, WHEELER AGIT FORCÉMENT SEUL, OR IL NE PEUT PAS ÊTRE PARTOUT À LA FOIS.

FAIRE SEMBLANT DE SEMER MES COLLÈGUES DE WISE VA L'EMBROUILLER. À FORCE DE LE SECOUER, IL FINIRA BIEN PAR SORTIR LE BOUT DE SON NEZ... ENFIN JE L'ESPÈRE ! ALLEZ, MONTRE-TOI !

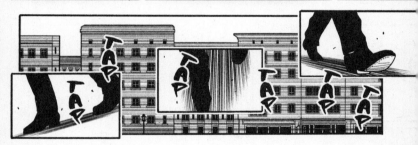

BON, ÉTAPE SUIVANTE !

AHUM

À MOINS QU'IL GARDE SES DISTANCES...

QUE FAIRE ? IL M'A LOUPÉ OU QUOI ?!

TOUJOURS RIEN !

BLEU-1, GO !

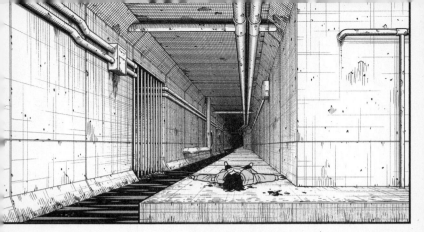

C'EST DANGEREUX, MAIS L'ÉQUIPEMENT DE TWILIGHT DEVRAIT BIEN M'AIDER...

PAS D'INFO DE L'ÉQUIPE BLEUE ET ON N'A PLUS LE TEMPS... TANT PIS, ON SE LANCE. WHEELER, J'ESPÈRE QUE TU AS LES YEUX BRAQUÉS SUR L'HÔTEL !

AUCUN SIGNE DE WHEELER... ON PASSE AU PLAN 221

SPY×FAMILY

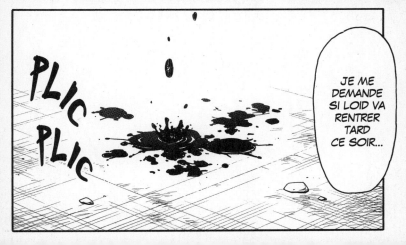

JE VOUS PARIE QUE...

CONTACTEZ LE CAPITAINE

QUOI ?

MON LIEUTENANT... JE N'AI PAS MIS LES PIEDS DANS LE COIN... ET POURTANT, IL Y A MON EMPREINTE...

...

TWILIGHT EST EN TRAIN DE FILER PAR LES ÉGOUTS

ILS AURAIENT CHANGÉ LE LIEU DE RDV À LA DERNIÈRE MINUTE ?

SATANÉ WHEELER, IL S'EST BIEN PLANQUÉ ! NOTRE TAUPE S'EST-ELLE TROMPÉE ? NON, VU LES TYPES DU SSS QUI TRAÎNENT DANS LE COIN...

MISSION : 82

SPY×FAMILY

QUOI ?!

NOTRE CHEF AU BUREAU PRÉTEND QUE CETTE MISSION N'A PAS REÇU L'AVAL DES INSTANCES SUPÉRIEURES

JE N'EN SAIS RIEN

POURQUOI UNE TENUE CIVILE, SOUS-LIEUTENANT ?

C'est pas exagéré ?

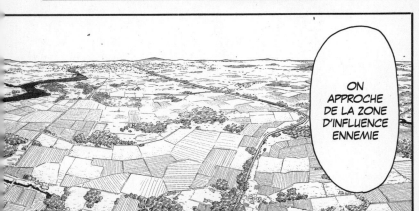

SPY×FAMILY

MISSION : 80

SPY×FAMILY

HA ! NON, JE RISQUE ENCORE DE L'AGRESSER...

ET J'AI AUCUNE ENVIE DE LE TUER, MOI ! CONTRÔLE-TOI, YOR ! GNNNNN...

B...

B...

VOUS AVEZ UN PEU TROP BU, NON ?

IL VA LE FAIRE ?!

Je suis coincée

UN BAISER

2ᵉ THERMOMÈTRE

PEEERE !
MEEERE !
NAN,
VOUS
BATTEZ
PAAAS
!!

YAAAAAAAAAH !!

FLOOORS

MADAME...
JE VOUS
RAPPELLE QUE
CE COUVERT
APPARTIENT AU
RESTAURANT...

...

STOOOP !
JE VEUX
BIEN
MANGER
MON
OMELETTE
SUCRÉEE !

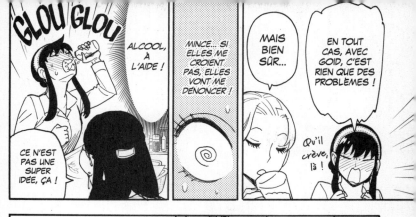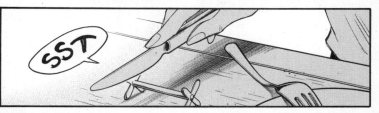

SPY×FAMILY

 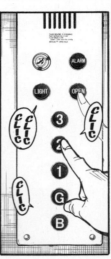 

SPY×FAMILY

SPY×FAMILY

SPY×FAMILY

C'EST DONC L'INVERSE DU PLAN B !!

APPELONS-LE...

MAIS EN FAIT, IL SUFFIT DE L'INVITER CHEZ NOUS !

J'AI TOUJOURS CHERCHÉ À M'INCRUSTER CHEZ LUI

DANS LE CADRE DU PLAN B ET DE L'OPÉRATION « AMI-AMI »...

« LE B PLAN » !

SPY×FAMILY

SOMMAIRE (12)

MISSION : 76	7
MISSION : 77	27
MISSION : 78	43
MISSION : 79	67
MISSION : 80	89
MISSION : 81	109
MISSION : 82	127
MISSION : 83	144
MISSION : 84	167

MISSION BONUS	187
EXTRA MISSION 9	193
EXTRA MISSION 10	200

Cette série est une fiction. Toute ressemblance avec des personnes, organisations ou événements existants serait purement fortuite.

MISSION

Opération « Strix »

Approcher Donovan Desmond, dangereux politicien menaçant la paix entre Ostania et Westalis

Stratégie : s'infiltrer dans les rencontres amicales de la prestigieuse école Éden

CIBLE

Donovan Desmond
Chef du parti « Nation unifiée » d'Ostania

PERSONNAGES CLÉS

Sylvia Sherwood
Agente de liaison de WISE

Fiona Frost
Agent secret et collègue de Loid
Nom de code : Nocturna

Becky Blackbell
Amie d'école d'Anya

Damien Desmond
Fils cadet de Donovan Desmond

Yuri Briar
Petit frère de Yor, agent de la police secrète

RÉSUMÉ

Afin de maintenir la paix entre l'Est et l'Ouest, l'espion Twilight s'est créé une fausse famille avec femme et enfant. Objectif : approcher le dangereux homme politique Donovan Desmond, dont le fils est inscrit à la prestigieuse école Éden. Mais Twilight ignore que son inoffensive épouse, Yor, est en réalité une tueuse professionnelle, et que sa fille adoptive, Anya, dispose du don de télépathie.
Lors d'une sortie scolaire en bus, Anya et ses camarades de classe sont pris en otage par des terroristes. Anya et Becky parviennent à alerter les gens à l'extérieur, mais les kidnappeurs sont déterminés à faire exploser les véhicules... avec les enfants à bord. Au péril de sa vie, Anya parvient à convaincre le chef des kidnappeurs de rendre les armes. Un acte de bravoure qui vaut à la fille des Forger de se rapprocher de Damien et de décrocher, ô miracle, sa deuxième Stella !

PERSONNAGES

LOID FORGER

Fonction : époux et père
Couverture : psychiatre

Espion de Westalis maîtrisant
l'art du déguisement
Nom de code : Twilight

YOR FORGER

Fonction : épouse de Loid Forger
Couverture : assistante de direction
à la mairie centrale de Berlint

Tueuse professionnelle
Nom de code : Princesse Ibara

ANYA FORGER

Fonction : fille de Loid Forger

Orpheline ayant subi les expérimentations
d'une organisation secrète

Dispose du don de télépathie

BOND FORGER

Fonction : partenaire de jeu d'Anya
et chien de garde de la famille Forger

Ancien cobaye militaire,
il dispose du don de voir l'avenir